150 Questions

SUR LES GRANDES INVENTIONS

Les Éditions Goélette

Couverture : Katia Senay
Graphisme : Katia Senay et Chantal Morisset
Recherche : Jenny de Jonquières

© 2012, Les Éditions Goélette inc.
1350, Marie-Victorin
Saint-Bruno-de-Montarville (Québec) J3V 6B9
Téléphone : 450-653-1337
Télécopieur : 450-653-9924
www.editionsgoelette.com
www.facebook.com/EditionsGoelette

Dépôts légaux : Troisième trimestre 2012
Bibliothèque et Archives nationales du Québec
Bibliothèque nationale du Canada

Imprimé au Canada

ISBN : 978-2-89690-412-9

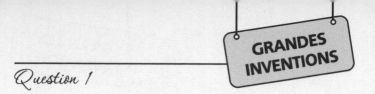

Question 1

Quand a été inventé le yo-yo ?

- ◯ **Avant la Grèce antique**

- ◯ **Au IIe siècle après J.-C.**

- ◯ **Au VIIe siècle**

Question 2

Qu'est-ce que Andreas Pavel a inventé en 1977 ?

- ◯ **Le four à micro-ondes**

- ◯ **Le Walkman**

- ◯ **La télévision à écran plat**

Question 3

Dans quelle région du monde a été inventé le whisky?

- ◯ **Aux États-Unis**

- ◯ **En Allemagne**

- ◯ **Au Royaume-Uni**

Question 4

Durant quel siècle a été inventé le violon?

- ◯ **Le XIVe siècle**

- ◯ **Le XVe siècle**

- ◯ **Le XVIe siècle**

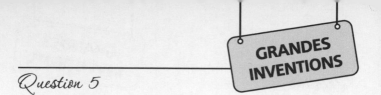

Question 5

Qui a inventé le vaccin ?

○ **Edward Jenner**

○ **Léa Dole**

○ **Marie Curie**

Question 6

Quel peuple est à l'origine du mascara ?

○ **Les Français**

 Les Algériens

○ **Les Cambodgiens**

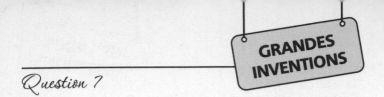

GRANDES INVENTIONS

Question 7

Dans quelle région des États-Unis a été inventée la soie dentaire en 1898 ?

○ L'Alaska

○ L'Iowa

○ La Nouvelle-Orléans

Question 8

Qui a inventé le premier soutien-gorge moderne ?

○ Christian Dior

○ Coco Chanel

○ Herminie Cadolle

Question 9

Quand a été inventé le télescope ?

○ **Aux alentours de 1450**

○ **Aux alentours de 1600**

○ **Aux alentours de 1800**

Question 10

Qui a inventé le télécopieur ?

○ **Alexander Copy**

○ **Alexander Bain**

○ **Alexander Xerox**

Question 11

En quelle année a été créé le taille-crayon ?

( ) **En 1828**

( ) **En 1852**

( ) **En 1884**

Question 12

Qui a inventé le téléphone cellulaire ?

( ) **Albert et William Ericsson**

( ) **George Sweigert d'Euclid
et Martin Cooper**

( ) **Alexander Graham Bell
et James Anderson**

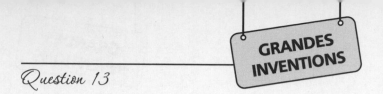

Question 13

En quelle année a été créée la tondeuse à gazon, en Angleterre ?

○ En 1830

○ En 1889

○ En 1923

Question 14

Quel peuple est à l'origine de la trancheuse à fromage ?

○ Les Italiens

○ Les Hongrois

○ Les Norvégiens

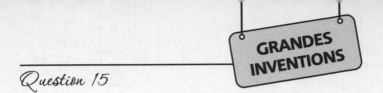

GRANDES INVENTIONS

Question 15

Qui a inventé le Tupperware?

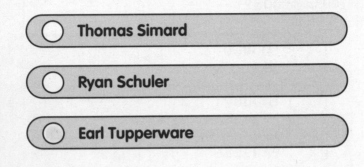

- ◯ **Thomas Simard**
- ◯ **Ryan Schuler**
- ◯ **Earl Tupperware**

Question 16

Qu'est-ce que Schuyler Wheeler a inventé en 1890?

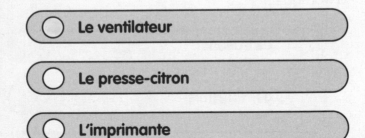

- ◯ **Le ventilateur**
- ◯ **Le presse-citron**
- ◯ **L'imprimante**

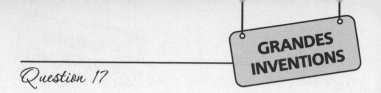
Question 17

Qu'est-ce que Hugh Le Caine a inventé en 1945 au Canada ?

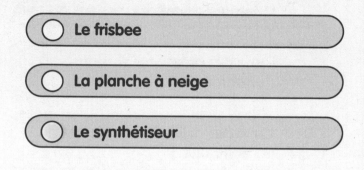

- ◯ **Le frisbee**
- ◯ **La planche à neige**
- ◯ **Le synthétiseur**

Question 18

Qu'est-ce que Santorio a inventé en 1626, en Grèce ?

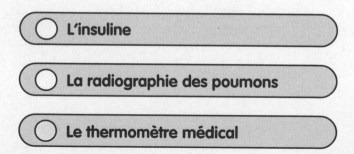

- ◯ **L'insuline**
- ◯ **La radiographie des poumons**
- ◯ **Le thermomètre médical**

Question 19

Qu'est-ce que Johann Waaler a inventé en 1900?

◯ **L'une des premières versions du stylo**

◯ **L'une des premières versions de l'agrafeuse**

◯ **L'une des premières versions du trombone**

Question 20

Où a été inventé le véhicule à énergie solaire?

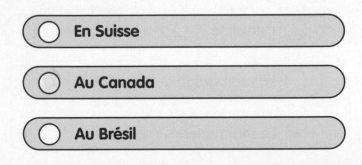

◯ **En Suisse**

◯ **Au Canada**

◯ **Au Brésil**

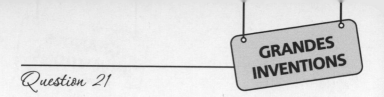
Question 21

Qui a inventé le ballon-sonde?

- ◯ **Gustave Hermite**

- ◯ **Alexander Flemming**

- ◯ **André Lussier**

Question 22

Où a été inventé le badminton?

- ◯ **En Suisse**

- ◯ **En Norvège**

- ◯ **En Chine**

Question 23

En quelle année a été inventé le ballon dirigeable par Henry Giffard ?

○ **En 1822**

○ **En 1852**

○ **En 1882**

Question 24

Où a eu lieu le premier match de baseball en 1846 ?

○ **En Floride**

○ **Au New Jersey**

○ **À Miami**

Question 25

Où a été conçu le premier bébé éprouvette
en 1978 ?

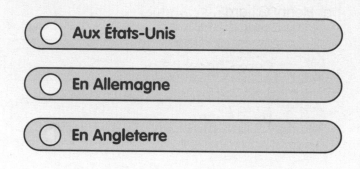

○ **Aux États-Unis**

○ **En Allemagne**

○ **En Angleterre**

Question 26

Quel Québécois a inventé la bicyclette
des neiges ?

○ **Bombardier**

○ **Landucci**

○ **Lamoureux**

Question 27

Quel Français a inventé le bikini en 1946?

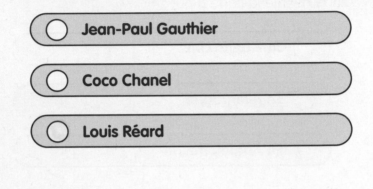

- ○ **Jean-Paul Gauthier**

- ○ **Coco Chanel**

- ○ **Louis Réard**

Question 28

En quelle année les billets de banque ont-ils fait leur apparition en Europe?

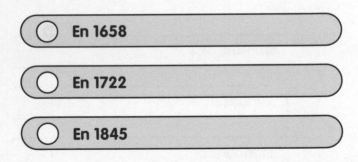

- ○ **En 1658**

- ○ **En 1722**

- ○ **En 1845**

Question 29

Qui a inventé la carte à puce ?

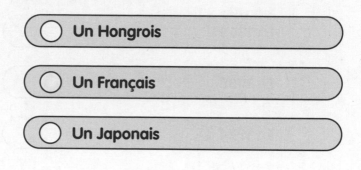

○ **Un Hongrois**

○ **Un Français**

○ **Un Japonais**

Question 30

En quelle année a été inventée la ceinture de sécurité par le Canadien Gustave Désiré Lebeau ?

○ **En 1903**

○ **En 1923**

○ **En 1943**

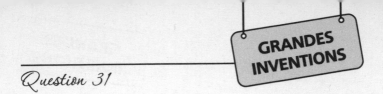
Question 31

En quelle année a été inventé le stylo à bille ?

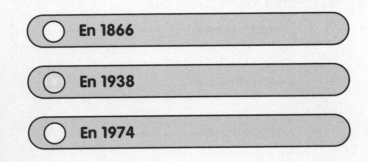

○ **En 1866**

○ **En 1938**

○ **En 1974**

Question 32

En quelle année a été inventé le Prozac ?

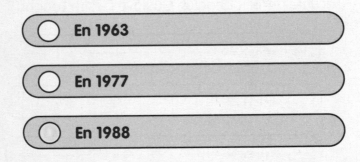

○ **En 1963**

○ **En 1977**

○ **En 1988**

Question 33

Qu'est-ce que Jacques Nufer a réussi pour
la première fois vers l'an 1500 ?

- ○ **L'impression d'un livre de plus de 400 pages**
- ○ **La pousse des oranges en France**
- ○ **La césarienne d'une femme**

Question 34

Qu'est-ce que William Kent a inventé en 1733 ?

- ○ **Le papier de toilette**
- ○ **Le chariot de bébé**
- ○ **L'agrafeuse**

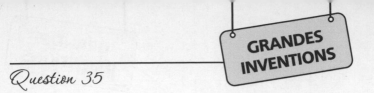

Question 35

Qu'est-ce qu'Antonio de Santa Anna et Thomas Adams ont inventé pendant le XIXᵉ siècle ?

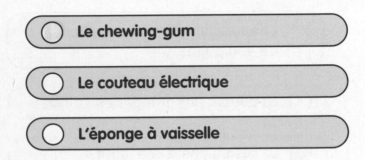

○ **Le chewing-gum**

○ **Le couteau électrique**

○ **L'éponge à vaisselle**

Question 36

Où a été inventé le cidre de glace ?

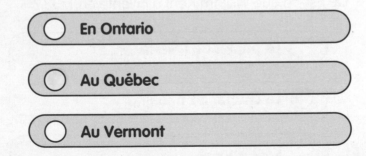

○ **En Ontario**

○ **Au Québec**

○ **Au Vermont**

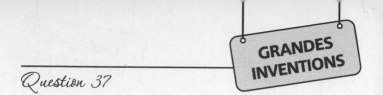

Question 37

Qu'est-ce que John Harrison a inventé
dans les années 1730 ?

○ **Le trombone**

○ **Le bloc-notes**

○ **Le chronomètre**

Question 38

Qu'est-ce que J.E. Branderberg a inventé
au début du XXe siècle ?

○ **Le papier ciré**

○ **Le papier d'aluminium**

○ **Le papier cellophane**

Question 39

Qui a inventé le CD-ROM ?

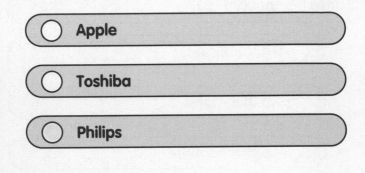

○ **Apple**

○ **Toshiba**

○ **Philips**

Question 40

Qui a inventé le bingo ?

○ **Monsieur Lowe**

○ **Monsieur Bingo**

○ **Monsieur Edison**

Question 41

Quand a été inventé le blackjack ?

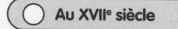

( ) **Au XVIIe siècle**

( ) **Au XVIIIe siècle**

( ) **Au XIXe siècle**

Question 42

Qui a inventé le Bloody Caesar ?

( ) **Un Mexicain**

( ) **Un Cubain**

( ) **Un Canadien**

Question 43

En quelle année a été inventée la bombe
à neutrons par le physicien Sam Cohen ?

○ **En 1938**

○ **En 1948**

○ **En 1958**

Question 44

Où aurait été inventée la boussole ?

○ **En Chine**

○ **En Espagne**

○ **En Angleterre**

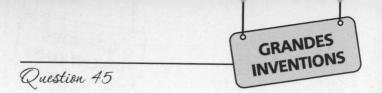

Question 45

Où a-t-on découvert le premier prototype de brosse à dents ?

○ **Dans la Grèce antique**

○ **Dans la Chine impériale**

○ **Dans l'Égypte ancienne**

Question 46

Qu'est-ce que le luthier Jean-Christophe Denner a inventé en 1690 ?

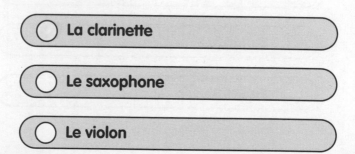

○ **La clarinette**

○ **Le saxophone**

○ **Le violon**

Question 47

Quel peuple est à l'origine de la cravate?

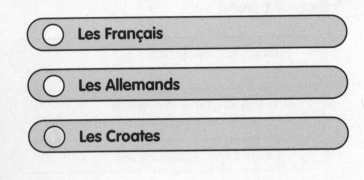

○ **Les Français**

○ **Les Allemands**

○ **Les Croates**

Question 48

En quelle année a été inventé le métro?

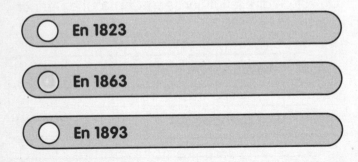

○ **En 1823**

○ **En 1863**

○ **En 1893**

Question 49

En quelle année a été inventé le séchoir à cheveux manuel ?

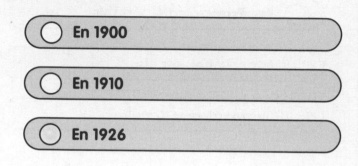

◯ **En 1900**

◯ **En 1910**

◯ **En 1926**

Question 50

Qu'est-ce que Erno Rubik a inventé ?

◯ **Le cube Rubik**

◯ **Le post-it**

◯ **Le lave-vaisselle**

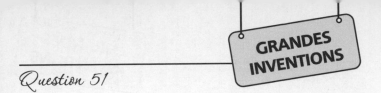

Question 51

Qu'est-ce que Vic Mills a inventé en 1956 ?

○ **Les tasses à café portables**

○ **Les couches jetables**

○ **Les manteaux Kanuk**

Question 52

Où ont été inventés les dominos ?

○ **En Algérie**

○ **En Chine**

○ **En Australie**

Question 53

Qu'est-ce que John Shore a inventé en 1711?

- ( ) **La fourchette en plastique**

- ( ) **L'aimant**

- ( ) **Le diapason**

Question 54

Qui a inventé la dynamite en 1866?

- ( ) **Pierre Dynamite**

- ( ) **Jacques Nufer**

- ( ) **Alfred Nobel**

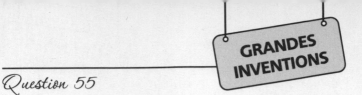

Question 55

Qui a inventé l'accélérateur de particules?

○ **Un professeur de l'université McGill**

○ **Un professeur de l'Université de Cambridge**

○ **Un professeur de l'Université de Genève**

Question 56

Qui a inventé l'accordéon?

○ **Le Français Antoine Gervais**

○ **L'Américain Walter Wallace**

○ **L'Autrichien Cyril Demiam**

Question 59

Qui a inventé l'air conditionné ?

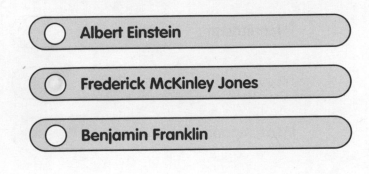

○ **Albert Einstein**

○ **Frederick McKinley Jones**

○ **Benjamin Franklin**

Question 60

Quel peuple a inventé l'Airbus A-380 ?

○ **Les Australiens**

○ **Les Français**

○ **Les Américains**

Question 57

Quel peuple est à l'origine de l'acupuncture ?

- ○ **Les Indiens**

- ○ **Les Chinois**

- ○ **Les Japonais**

Question 58

Quel peuple a inventé l'aiguille en acier poli ?

- ○ **Les Anglais**

- ○ **Les Turcs**

- ○ **Les Espagnols**

Question 61

De quelle nationalité est l'inventeur Alfred Nobel?

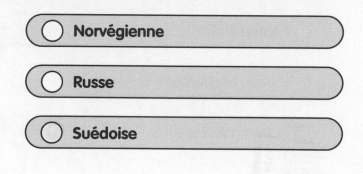

- ◯ **Norvégienne**

- ◯ **Russe**

- ◯ **Suédoise**

Question 62

Qui a inventé l'algorithme?

- ◯ **Les Perses**

- ◯ **Les Grecs**

- ◯ **Les Romains**

Question 63

Qui a inventé l'allumette ?

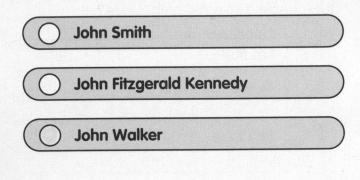

- ◯ **John Smith**
- ◯ **John Fitzgerald Kennedy**
- ◯ **John Walker**

Question 64

Qui a inventé l'alphabet Braille ?

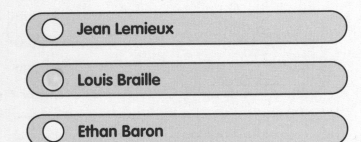

- ◯ **Jean Lemieux**
- ◯ **Louis Braille**
- ◯ **Ethan Baron**

Question 65

Quel peuple a inventé l'ambulance ?

○ **Les Italiens**

○ **Les Grecs**

○ **Les Français**

Question 66

Qui a inventé l'ampoule électrique ?

○ **Thomas Edison**

○ **Franklin Rogers**

○ **Albert Einstein**

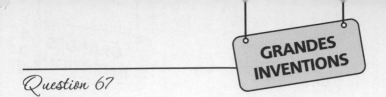

Question 67

Quand a été inventée l'ancre par les marins?

- ( ) **En 600 av. J.-C.**

- ( ) **En 150 av. J.-C.**

- ( ) **En 200 apr. J.-C.**

Question 68

Qui a inventé l'ampère, le galvanomètre,
le télégraphe électrique et l'électroaimant?

- ( ) **Monsieur Ampère**

- ( ) **Monsieur Galvomètre**

- ( ) **Monsieur Aimant**

Question 69

En quelle année a eu lieu la première chirurgie dentaire avec gaz hilarant ?

○ **En 1823**

○ **En 1844**

○ **En 1923**

Question 70

Quelle a été la première ville du monde à avoir un annuaire ?

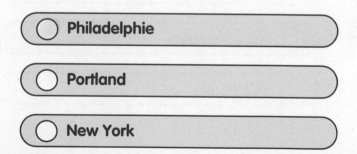

○ **Philadelphie**

○ **Portland**

○ **New York**

Question 71

Qui a inventé l'appareil photo Polaroïd ?

○ **Alphonse Polaroïd**

○ **Edwin Herbert Land**

○ **Lucie Huberstein**

Question 72

Quel Canadien a inventé l'aquabuster en 1997 ?

○ **Jacques Desrocher**

○ **Paul Tremblay**

○ **Loïc Poulin**

Question 13

Où a été inventé l'aquarium ?

- ◯ **En Égypte**

- ◯ **En Syrie**

- ◯ **En Angleterre**

Question 14

Qui a expliqué la « poussée d'Archimède » ?

- ◯ **Platon**

- ◯ **Socrate**

- ◯ **Archimède**

Question 75

Qui a inventé le sapin à fibres optiques ?

○ **Le Canadien Gérard LaBranche**

○ **L'Italien Toni Pavoli**

○ **Le Soudanais Mati Opé**

Question 76

En quelle année Ray Tomlinson a-t-il utilisé l'arobas pour la première fois dans un courriel ?

○ **En 1972**

○ **En 1982**

○ **En 1992**

Question 77

Qui a inventé l'aspirateur?

( ) **Monsieur Hoover**

( ) **Monsieur MecGally**

( ) **Monsieur Aspirateur**

Question 78

Qui a synthétisé l'acide acétylsalicylique
et fait breveter cette molécule sous le nom
d'aspirine en 1899?

( ) **Hoffmann**

( ) **Grecht**

( ) **Duclos**

Question 79

En quelle année Joseph John Thomson a-t-il découvert l'électron ?

○ **En 1723**

○ **En 1802**

○ **En 1897**

Question 80

En quelle année Sir Ernest Rutheford a-t-il découvert le noyau atomique ?

○ **En 1846**

○ **En 1899**

○ **En 1911**

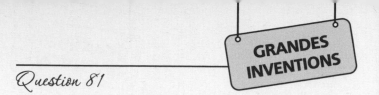

Question 81

Qui a inventé le bain Jacuzzi ?

○ **Les frères Jacuzzi**

○ **Alexander Graham Bell**

○ **Édouard Michelin**

Question 82

Où a été inventée la balle de golf ?

○ **En Autriche**

○ **Aux Pays-Bas**

○ **Aux États-Unis**

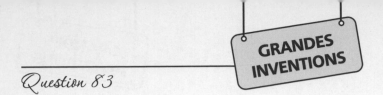

Question 83

De quelle nationalité était Rodolphe Toepffer,
l'inventeur de la bande dessinée?

○ **Américaine**

○ **Belge**

○ **Suisse**

Question 84

En quelle année a été inventé le nylon,
par Wallace Carothers?

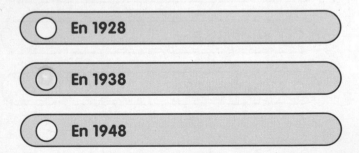

○ **En 1928**

○ **En 1938**

○ **En 1948**

Question 85

Qui a inventé le sachet de thé?

( ) **John Sullivan**

( ) **John Lipton**

( ) **James Twinnings**

Question 86

Quel peuple a inventé le réveille-matin en 1847?

( ) **Les Danois**

( ) **Les Russes**

( ) **Les Français**

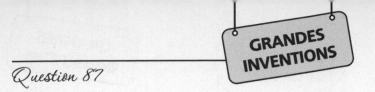

Question 87

Qui a inventé la poupée Barbie?

( ) **La compagnie Mattel**

( ) **La compagnie Fisher Price**

( ) **La compagnie Walt Disney**

Question 88

Qui a inventé la poubelle domestique?

( ) **Edward Nobel**

( ) **Eugène Poubelle**

( ) **Lucien Rouet**

Question 89

En quelle année a été inventé le ketchup de
Henry John Heinz?

○ **En 1876**

○ **En 1899**

○ **En 1910**

Question 90

En quelle année a été conçu le juke-box?

○ **En 1889**

○ **En 1900**

○ **En 1912**

Question 91

En quelle année a été inventée la jeep?

○ **En 1930**

○ **En 1940**

○ **En 1950**

Question 92

En quelle année a été inventé Internet?

○ **En 1962**

○ **En 1982**

○ **En 1990**

Question 93

En quelle année l'indice humidex a-t-il été instauré?

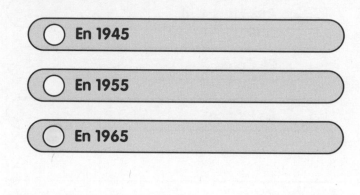

◯ **En 1945**

◯ **En 1955**

◯ **En 1965**

Question 94

Où a été inventé le célèbre jeu Lego?

◯ **Aux États-Unis**

◯ **Au Danemark**

◯ **En Allemagne**

Question 95

Où a été inventé le lave-vaisselle mécanique?

○ **Aux États-Unis**

○ **En Corée**

○ **En France**

Question 96

Où a été créé le karaoké?

○ **En Chine**

○ **Au Japon**

○ **En Australie**

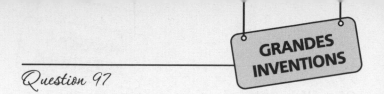

Question 97

Dans quel État des États-Unis a été inventé
le Jet Ski ?

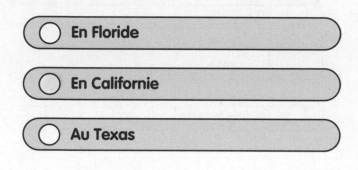

( ) **En Floride**

( ) **En Californie**

( ) **Au Texas**

Question 98

Qui a inventé le jeans ?

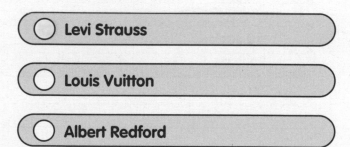

( ) **Levi Strauss**

( ) **Louis Vuitton**

( ) **Albert Redford**

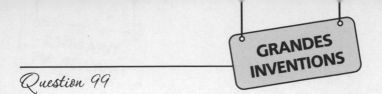
Question 99

Où a été inventé l'hélicoptère?

○ **En France**

○ **En Russie**

○ **En Angleterre**

Question 100

Où a été inventé l'harmonica?

○ **En Roumanie**

○ **En Italie**

○ **En Autriche**

Question 101

Où les escaliers mécaniques ont-ils été créés, en 1892?

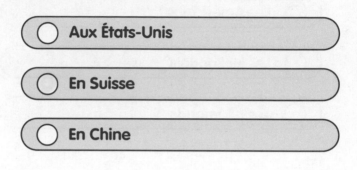

○ **Aux États-Unis**

○ **En Suisse**

○ **En Chine**

Question 102

Où a été inventée l'eau de Cologne?

○ **En Suisse**

○ **En Belgique**

○ **En Allemagne**

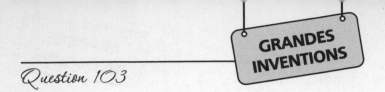

Question 103

Quel peuple a inventé le premier grille-pain ?

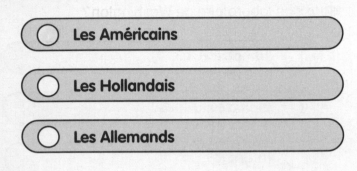

○ **Les Américains**

○ **Les Hollandais**

○ **Les Allemands**

Question 104

Quand a été inventée la grenade ?

○ **Au XVe siècle**

○ **Au XVIe siècle**

○ **Au XVIIe siècle**

Question 105

Qu'est-ce qu'Émile Berliner a inventé en 1887 dans son laboratoire de Washington?

○ **Le hamac**

○ **Le gramophone**

○ **La greffe**

Question 106

Qui a inventé la fermeture à glissière?

○ **Jérôme Cardan**

○ **Élias Howe**

○ **Henry Ford**

Question 107

Qu'est-ce que Dubois de Chemant a inventé
en 1788 ?

( ) **Le dictionnaire**

( ) **Le dentier**

( ) **La soupière**

Question 108

Qui a inventé le deltaplane ?

( ) **Walace Carothers**

( ) **Doug Engelbart**

( ) **Francis Melvin Rogallo**

Question 109

Où a été inventée la souffleuse à neige ?

( ) **En Alberta**

( ) **En Ontario**

( ) **Au Québec**

Question 110

Où a été inventé le radar en 1935 ?

( ) **En Angleterre**

( ) **En Israël**

( ) **Aux États-Unis**

Question 111

Où a été fabriqué le premier magnétoscope?

( ) **En Corée**

( ) **En Chine**

( ) **Aux États-Unis**

Question 112

Dans quel pays a été inventée la machine
à laver?

( ) **En France**

( ) **En Italie**

( ) **En Belgique**

Question 113

Où a été inventée la machine à tricoter?

◯ **En France**

◯ **En Allemagne**

◯ **En Angleterre**

Question 114

Où a eu lieu la première loterie nationale?

◯ **Aux États-Unis**

◯ **En France**

◯ **Au Canada**

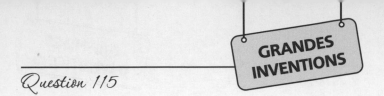
Question 115

Qu'est-ce que Georges Lerner a inventé en 1952?

○ **Monsieur Patate**

○ **Les mots croisés**

○ **Le ballon de soccer**

Question 116

Qu'est-ce que Glidden et Sholes ont inventé en 1867?

○ **La machine à café**

○ **La machine à écrire**

○ **La machine à maïs soufflé**

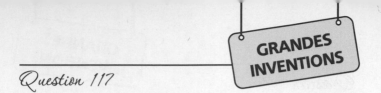

Question 117

Qu'est-ce que Samuel O'Reilly a inventé en 1891?

○ **La machine à tatouer électrique**

○ **La machine à brasser électrique**

○ **Le fer à repasser**

Question 118

Qu'est-ce que James Ayscough a inventé en 1752, en Angleterre?

○ **La théière**

○ **La bouilloire**

○ **Les lunettes de soleil**

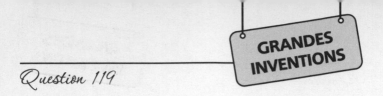

Question 119

Qu'est-ce que Richard Trevithick a inventé
en 1802 ?

○ **L'arbalète**

○ **La locomotive à vapeur**

○ **Le lance-flammes**

Question 120

Qu'est-ce que l'Allemand Emil Jellinek a inventé
en 1901 ?

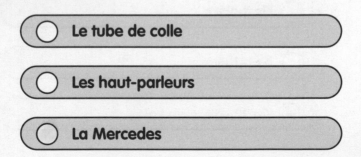

○ **Le tube de colle**

○ **Les haut-parleurs**

○ **La Mercedes**

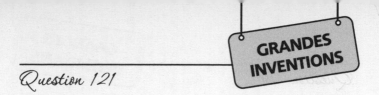

Question 121

En quelle année a été inventée la mayonnaise ?

- ( ) **En 1756**

- ( ) **En 1798**

- ( ) **En 1821**

Question 122

Quand a été inventée la première machine à coudre ?

- ( ) **En 1799**

- ( ) **En 1809**

- ( ) **En 1830**

Question 123

En quelle année a été inventée la mammographie?

◯ **En 1956**

◯ **En 1965**

◯ **En 1976**

Question 124

Quand a été fondé le premier McDonald's?

◯ **En 1948**

◯ **En 1959**

◯ **En 1961**

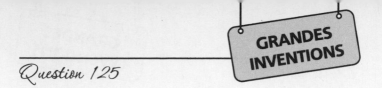

Question 125

En quelle année a été inventé le masque à gaz?

- ○ **En 1854**
- ○ **En 1908**
- ○ **En 1931**

Question 126

Qu'est-ce qu'Edward Lowe a inventé en 1947?

- ○ **Le calendrier électronique**
- ○ **La litière pour chats**
- ○ **La valise à roulettes**

Question 127

En quelle année a été inventé l'ouvre-boîte ?

- ◯ **En 1858**

- ◯ **En 1888**

- ◯ **En 1908**

Question 128

Qu'est-ce que Conrad Hubert a conçu en 1898 ?

- ◯ **La lampe de poche**

- ◯ **La gourde**

- ◯ **Le dentifrice**

Question 129

Qu'est-ce que le gynécologue italien Giorgio Fischer a inventé en 1974 ?

◯ **La liposuccion**

◯ **L'augmentation mammaire**

◯ **Le frottis**

Question 130

De quelle origine était l'inventeur du premier photocopieur ?

◯ **D'origine allemande**

◯ **D'origine américaine**

◯ **D'origine chinoise**

Question 131

Quel peuple a inventé le phare?

( ) **Les Romains**

( ) **Les Chinois**

( ) **Les Grecs**

Question 132

En quelle année a été inventé l'ordinateur
portable par Adams Osborne?

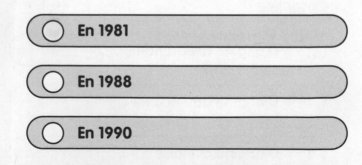

( ) **En 1981**

( ) **En 1988**

( ) **En 1990**

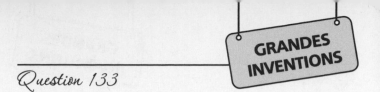
Question 133

Quelle famille a inventé le Nutella ?

○ **La famille Ferrero**

○ **La famille Cadbury**

○ **La famille Nestlé**

Question 134

Qui a inventé le premier réfrigérateur électrique, fabriqué aux États-Unis en 1913 ?

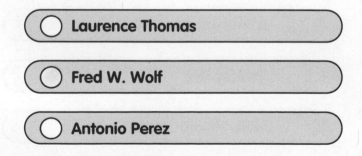

○ **Laurence Thomas**

○ **Fred W. Wolf**

○ **Antonio Perez**

Question 135

En quelle année a été inventé le microscope ?

○ **En 1590**

○ **En 1610**

○ **En 1640**

Question 136

Qu'est-ce que Cornelis Drebbel a inventé en 1624, en Hollande ?

○ **Le sous-marin**

○ **L'hélicoptère**

○ **L'avion hydraulique**

Question 137

Qu'est-ce que Bartolomeo Cristofori a inventé
en 1709 ?

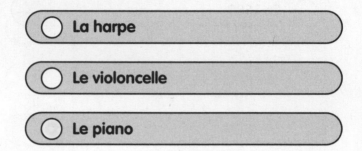

○ **La harpe**

○ **Le violoncelle**

○ **Le piano**

Question 138

Qu'est-ce que John Joseph Merlin a créé
à Londres en 1759 ?

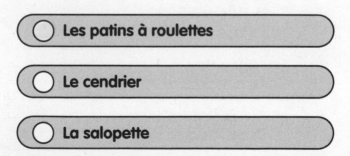

○ **Les patins à roulettes**

○ **Le cendrier**

○ **La salopette**

Question 139

En quelle année a été inventée la souris d'ordinateur ?

◯ **En 1963**

◯ **En 1978**

◯ **En 1984**

Question 140

Qu'est-ce que l'Américain Carl Magee a inventé en 1935 ?

◯ **La soie dentaire**

◯ **Le parcomètre**

◯ **Le pèse-personne**

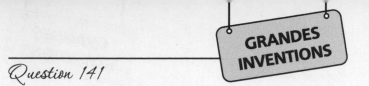

Question 141

Qu'est-ce que Marvin Stone a inventé en 1888 ?

◯ **Le lampadaire**

◯ **La paille à boire**

◯ **L'épluche-légumes**

Question 142

Qu'est-ce que le Québécois Michel Verret a imaginé en 1995 ?

◯ **La moustiquaire extensible**

◯ **Le MP3**

◯ **Le moteur à eau**

Question 143

Quelle invention doit-on à l'Autrichien Étienne Loulié, en 1696 ?

- ◯ **Le mini-golf**

- ◯ **La morphine**

- ◯ **Le métronome**

Question 144

Qu'est-ce qu'Alfred Mosher Butts a conçu aux États-Unis en 1929 ?

- ◯ **Le microphone**

- ◯ **Le disque dur**

- ◯ **Le jeu Scrabble**

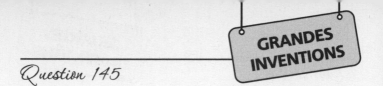
Question 145

Qu'est-ce que l'américain J.F. Hyde a créé en 1938 ?

○ **La silicone**

○ **Le chewing-gum à la menthe**

○ **Le pistolet automatique**

Question 146

Qu'est-ce que le Britannique James Henry Atkinson a inventé en 1897 ?

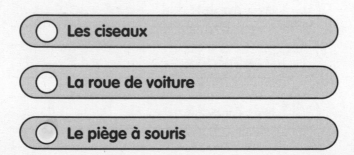

○ **Les ciseaux**

○ **La roue de voiture**

○ **Le piège à souris**

Question 147

Quand a été inventé le podomètre ?

◯ **En 1525**

◯ **En 1632**

◯ **En 1768**

Question 148

Quel peuple a inventé le permis de conduire en 1893 ?

◯ **Les Anglais**

◯ **Les Suédois**

◯ **Les Français**

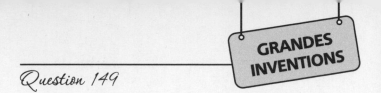

Question 149

Qu'est-ce que l'Américaine Bette Nesmith Graham a inventé en 1951?

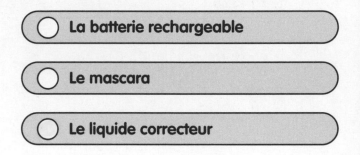

○ **La batterie rechargeable**

○ **Le mascara**

○ **Le liquide correcteur**

Question 150

En quelle année a été conçu le jeu Monopoly?

○ **En 1933**

○ **En 1944**

○ **En 1955**

GRANDES INVENTIONS

Question 1

> ✓ **Avant la Grèce antique**

Question 2

> ✓ **Le Walkman**

Question 3

> ✓ **Au Royaume-Uni**

Question 4

> ✓ **Le XVIe siècle**

Question 5

✓ Edward Jenner

Question 6

✓ Les Algériens

Question 7

✓ La Nouvelle-Orléans

Question 8

✓ Herminie Cadolle

GRANDES INVENTIONS

Question 9

✓ **Aux alentours de 1600**

Question 10

✓ **Alexander Bain**

Question 11

✓ **En 1828**

Question 12

✓ **George Sweigert d'Euclid et Martin Cooper**

Question 13

✓ **En 1830**

Question 14

✓ **Les Norvégiens**

Question 15

✓ **Earl Tupperware**

Question 16

✓ **Le ventilateur**

GRANDES
INVENTIONS

Question 17

✓ Le synthétiseur

Question 18

✓ Le thermomètre médical

Question 19

✓ L'une des premières versions
du trombone

Question 20

✓ Au Canada

Question 21

✓ **Gustave Hermite**

Question 22

✓ **En Chine**

Question 23

✓ **En 1852**

Question 24

✓ **Au New Jersey**

GRANDES INVENTIONS

Question 25

✓ **En Angleterre**

Question 26

✓ **Landucci**

Question 27

✓ **Louis Réard**

Question 28

✓ **En 1658**

Question 29

✓ **Un Français**

Question 30

✓ **En 1903**

Question 31

✓ **En 1938**

Question 32

✓ **En 1988**

GRANDES INVENTIONS

Question 33

✓ La césarienne d'une femme

Question 34

✓ Le chariot de bébé

Question 35

✓ Le chewing-gum

Question 36

✓ Au Québec

GRANDES INVENTIONS

Question 37

✓ **Le chronomètre**

Question 38

✓ **Le papier cellophane**

Question 39

✓ **Philips**

Question 40

✓ **Monsieur Lowe**

GRANDES
INVENTIONS

Question 41

✓ Au XVIIIᵉ siècle

Question 42

✓ Un Canadien

Question 43

✓ En 1958

Question 44

✓ En Chine

Question 45

✓ **Dans l'Égypte ancienne**

Question 46

✓ **La clarinette**

Question 47

✓ **Les Croates**

Question 48

✓ **En 1863**

Question 49

 **En 1926**

Question 50

Le cube Rubik

Question 51

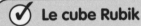 **Les couches jetables**

Question 52

En Chine

GRANDES INVENTIONS

Question 53

✓ **Le diapason**

Question 54

✓ **Alfred Nobel**

Question 55

✓ **Un professeur de l'université McGill**

Question 56

✓ **L'Autrichien Cyril Demiam**

Question 57

 Les Chinois

Question 58

✓ Les Espagnols

Question 59

✓ Frederick McKinley Jones

Question 60

✓ Les Français

Question 61

✓ **Suédoise**

Question 62

✓ **Les Perses**

Question 63

✓ **John Walker**

Question 64

✓ **Louis Braille**

Question 65

✓ **Les Français**

Question 66

✓ **Thomas Edison**

Question 67

✓ **En 600 av. J.-C.**

Question 68

✓ **Monsieur Ampère**

Question 69

✓ **En 1844**

Question 70

✓ **Philadelphie**

Question 71

✓ **Edwin Herbert Land**

Question 72

✓ **Jacques Desrocher**

GRANDES
INVENTIONS

Question 73

 En Angleterre

Question 74

 Archimède

Question 75

 Le Canadien Gérard LaBranche

Question 76

 En 1972

Question 77

✓ **Monsieur MecGally**

Question 78

✓ **Hoffmann**

Question 79

✓ **En 1897**

Question 80

✓ **En 1911**

Question 81

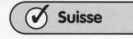 **Les frères Jacuzzi**

Question 82

✓ **Aux Pays-Bas**

Question 83

✓ **Suisse**

Question 84

✓ **En 1938**

Question 85

✓ **John Sullivan**

Question 86

✓ **Les Français**

Question 87

✓ **La compagnie Mattel**

Question 88

✓ **Eugène Poubelle**

Question 89

 **En 1876**

Question 90

✓ **En 1889**

Question 91

✓ **En 1940**

Question 92

✓ **En 1962**

Question 93

✓ **En 1965**

Question 94

✓ **Au Danemark**

Question 95

✓ **Aux États-Unis**

Question 96

✓ **Au Japon**

Question 97

✓ **En Californie**

Question 98

✓ **Levi Strauss**

Question 99

✓ **En France**

Question 100

✓ **En Autriche**

Question 101

> ✓ **En Suisse**

Question 102

> ✓ **En Allemagne**

Question 103

> ✓ **Les Américains**

Question 104

> ✓ **Au XVᵉ siècle**

Question 105

✓ **Le gramophone**

Question 106

✓ **Élias Howe**

Question 107

✓ **Le dentier**

Question 108

✓ **Francis Melvin Rogallo**

Question 109

✓ **Au Québec**

Question 110

✓ **En Angleterre**

Question 111

✓ **Aux États-Unis**

Question 112

✓ **En France**

GRANDES INVENTIONS

Question 113

✓ **En Angleterre**

Question 114

✓ **En France**

Question 115

✓ **Monsieur Patate**

Question 116

✓ **La machine à écrire**

Question 117

✓ **La machine à tatouer électrique**

Question 118

✓ **Les lunettes de soleil**

Question 119

✓ **La locomotive à vapeur**

Question 120

✓ **La Mercedes**

Question 121

✓ **En 1756**

Question 122

✓ **En 1830**

Question 123

✓ **En 1965**

Question 124

✓ **En 1948**

Question 125

 **En 1854**

Question 126

✓ **La litière pour chats**

Question 127

✓ **En 1858**

Question 128

✓ **La lampe de poche**

Question 129

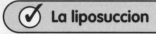 **La liposuccion**

Question 130

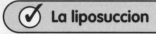 **D'origine américaine**

Question 131

 Les Romains

Question 132

 En 1981

Question 133

✓ **La famille Ferrero**

Question 134

✓ **Fred W. Wolf**

Question 135

✓ **En 1590**

Question 136

✓ **Le sous-marin**

Question 137

✓ **Le piano**

Question 138

✓ **Les patins à roulettes**

Question 139

✓ **En 1963**

Question 140

✓ **Le parcomètre**

Question 141

✓ **La paille à boire**

Question 142

✓ **La moustiquaire extensible**

Question 143

✓ **Le métronome**

Question 144

✓ **Le jeu Scrabble**

Question 145

✓ **La silicone**

Question 146

✓ **Le piège à souris**

Question 147

✓ **En 1525**

Question 148

✓ **Les Français**

Question 149

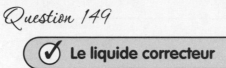

✓ **Le liquide correcteur**

Question 150

✓ **En 1933**

Notes : _____
_____
_____
_____
_____
_____
_____
_____
_____
_____
_____
_____
_____
_____
_____
_____
_____
_____
_____
_____
_____
_____
_____
_____
_____
_____

Notes : _____
_____
_____
_____
_____
_____
_____
_____
_____
_____
_____
_____
_____
_____
_____
_____
_____
_____
_____
_____
_____
_____
_____
_____
_____
_____

Notes : _____
_____
_____
_____
_____
_____
_____
_____
_____
_____
_____
_____
_____
_____
_____
_____
_____
_____
_____
_____
_____
_____
_____
_____
_____
_____

Notes : _____
_____
_____
_____
_____
_____
_____
_____
_____
_____
_____
_____
_____
_____
_____
_____
_____
_____
_____
_____
_____
_____
_____
_____
_____
_____
_____

Notes : _____

_____
_____
_____
_____
_____
_____
_____
_____
_____
_____
_____
_____
_____
_____
_____
_____
_____
_____
_____
_____
_____
_____
_____
_____
_____
_____
_____

Notes : _____

_____

_____

_____

_____

_____

_____

_____

_____

_____

_____

_____

_____

_____

_____

_____

_____

_____

_____

_____

_____

_____

_____

_____

Notes : _____

_____
_____
_____
_____
_____
_____
_____
_____
_____
_____
_____
_____
_____
_____
_____
_____
_____
_____
_____
_____
_____
_____
_____
_____
_____
_____

Notes : _____

_____

_____

_____

_____

_____

_____

_____

_____

_____

_____

_____

_____

_____

_____

_____

_____

_____

_____

_____

_____

_____

_____

_____